Rinö

황제의
외동딸

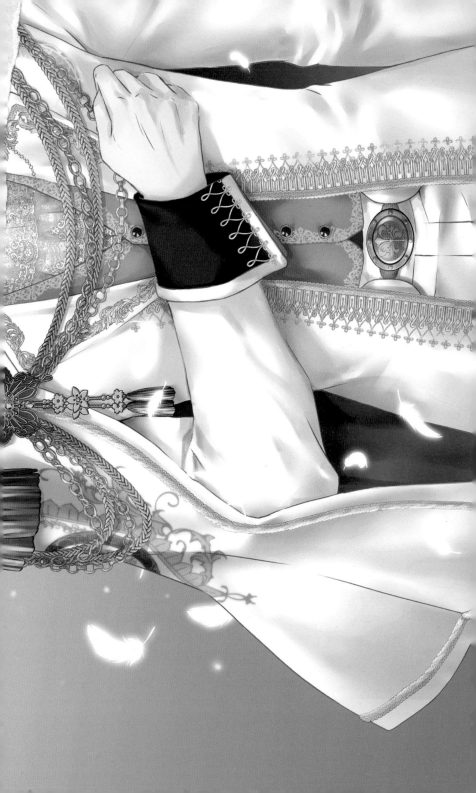

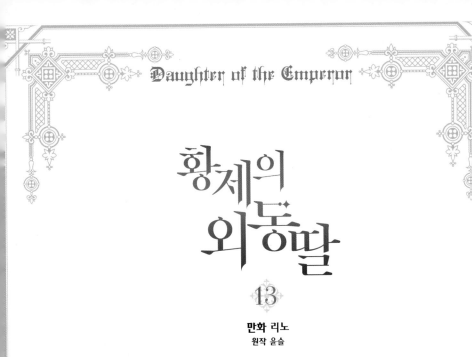

Daughter of the Emperor

황제의 외동딸

13

만화 리노

원작 윤슬

D&C WEBTOON BIZ

Contents 13

황제의 외동딸

Goodbye, Mr (3)

황제의
외동딸

아, 내가 진짜
이런 애가 아닌데.

예쁜 것에 약하다는
자각은 있었지만
이렇게까지 정신을
못 차리다니.

잡은 손이
자꾸 신경 쓰여서

곤란하다,
정말.

무슨 말을
꺼내야겠다는
생각조차 못 하겠고.

자꾸 그렇게 보셔도
안 봐 드릴 거예요.

으아,
내가 너무
힐끔거렸나.

네?

그래도
콕 집어 말할
필요는 없잖아! 쥐구멍에라도
숨고 싶어.

경치가
멋지군요.

네…….

부끄럽고 당황스러운
상황이지만,
그래도……

아힌은
아무렇지도 않은데
나만 괜히 의식하는
거 아냐? ㅠㅠ

아힌과 함께 본
이 풍경은 계속
기억에 남을 것 같아.

밤이 잦아드는 시간은
마음을 평온하게
해 준다.

이제 좀
살 만한가?

고요한 정적이
기분 좋아.

어렵더라. 아빠 찾는 거.

그랬겠지.

그렇게 오랜 시간이 걸릴 줄도 몰랐고.

고작해야 하루 이틀일 줄 알았는데 말이야.

뭐, 아빠를 찾아서 데리고 나올 수 있었단 것 자체가 기적이었으니

별로 불평거리는 아니지만.

저 자식이!

네가 멋대로 들어가서 꿈을 헤집어 놨으니 이로써 카이텔은 또 한동안 악몽에 시달리겠군.

하여간 틈만 나면 저렇게 긁어 대니 좋아할 수가 없다니까.

아주 한결같아. 소나무 급이야.

그렇다고
내가 신경질을 내면
또 좋아라 하겠지?

변태니까.

······그렇게 끙끙대며
떠올리려고 해도
생각나지 않던 꿈속
기억들이었는데.

저 까만 하늘을 보니
그 빛바랜
희미한 기억들이
하나둘씩 떠오른다.

내가 꿈에서
본 거······ 전부
다 진실일까?

그냥
꿈일 뿐이었으면
좋겠는데.

그렇게
생각하고 싶어.

그렇겠지.

·······.

하지만 전부는 아닐 거야.

그런 말을 들었던 것 같기도 하네......

말했잖아? 카이텔의 기억과 소망, 혹은 두려움 같은 게 한데 섞여 나타난 거라고.

정말 한낱 꿈에 불과한 일들이었으면 좋겠어.

아빠가 그런 일을 겪었다고 생각하고 싶지 않아.

내가 어떻게 해 줄 수 있었다면 모를까, 그건 이미 모두 지나간 이야기.

내가 어떻게도 해 줄 수 없는 일들인걸.

정말 그게 사실이라면 내가 너무 슬프니까.

드란스테.

왜?

글쎄.
어딜까.

불쌍한 놈
같으니라고.

자기 몸이 어디에
흩어져 있는지도
모르는 현실이라니.

찾으면
또 올게.

그래도 그 바쁜 와중에
짬짬이 찾아와 주는 게
고맙긴 해.

그래.
다녀와.

황제의
외동딸

이번 전쟁은
구 이차르타령을 프레치아가
강제 점령하며 발발하였다.

그렇다고
이대로 질질 끌면
카이텔이 선택할 것은
분명 똑같은 전쟁밖에
없을 테니……

거슬리는
것들이군.

페르델 입장에선 프레치아가
그냥 깔끔히 그 땅을 돌려주고
물러나는 게 이상적이었지만
어디 프레치아가 그러겠는가.

카이텔이
완전히 회복하기 전에
어떻게든 해결을 보려고
페르델이 애를 쓰고
있는 것이다.

그래서 휴전
협정인가요?

아무튼
각고의 노력 끝에
잡힌 협정 장소는

종전 협정
이어야지.

그게 그거
아니에요?

아니거든.

랑그르와
아그리젠트 둘의
국경이 맞닿는 지점.

이번 협정은
약 이십여 년 전
아그리젠트
정복 대전쟁 때 열렸던
협정 다음으로
큰 규모로,

아그리젠트와
프레치아를 포함한
각국의 대표 사신들이
참석하기로 되어
있었는데…….

아그리젠트 대표로
참가해 주셨으면
합니다.

내가?

예, 공주님만이
하실 수 있는
일입니다.

페르델의 간곡한
요청으로 나도 함께
동행하게 되었다.

아빠는
반대했지만.

그래도 이번엔
친위대도 모조리 끌고
갈 생각이고 철저히
대비할 거니까.

공주님,
진짜 가셔도
괜찮으시겠어요?

괜찮아.
삼 박 사 일
정도인데.

또 쓰러지시면
어떡해요?

맞아요.

쟤들은 또
언제
친해졌대.

그렇다고 몸져누워 계신 연로한 아버님께 가라 그럴 수는 없잖아.

……

페르델의 입장에서는

언제 터질지 모르는 폭탄 같은 아빠보다야 내가 편할 테지만.

폐하께서 다리랑 머리에 입은 상처가 꽤 치명적이셨나 봐요.

아빠가 갈 수 있었으면 내가 황제 대리로 왜 그 먼 데까지 가겠니.

그것도 있고…… 오랫동안 의식을 못 찾은 게 영향이 제일 컸대.

세르이라 님, 그것도 다 우리 폐하라서 이 정도인 거예요.

맞아요. 폐하시니까 이 정도로 끝나는 거죠.

그나저나…… 우리 아빠가 요새 얌전하네?

끄덕 끄덕

그래, 병원이 있었다면 이미 중환자실에서 집중 관리를 받아야 할 부상이지.

뭐, 태의원에서 이미 충분한 관리를 받고는 있지만.

내가 눈뜨자마자 달려간 것도 있지만

우리 아버님이 워낙 가만히 있지를 못하는 분이니 절대 안정은 무리라고 생각했는데.

하지만 태의가 뭐라고 협박을 한 건지,

아, 생각난 김에 아빠한테나 가 봐야겠다.

태의와 말씀을 나누시더니 바로 회복에만 전념하겠다고 하셨어요.

그것참 용하네......

이번에 가면 최소 사나흘은 못 보는 거니까.

공주님, 괜찮으시겠어요?

그냥 몰래 다녀오시는 게 낫지 않을까요?

내가 숨긴다고 모를 아빠는 아니잖아?

자고로 솔직한 것이 최고라고!

그럼 다녀올게.

시녀장은 어디 가고
네가 그걸 들고
오는 거지?

헤헤,
아빠 보니까
반갑고 좋네.

이 아빠가
진짜! 너무한 거
아니야?

나만 보고 싶어
한 것 같잖아!
섭섭하게……

아니.
아빠, 안녕!

내가 달라고
했으니까 내가
들고 오는 거지.

근데 예쁜
딸내미를 봤는데
인사도 안 해?

……그래,
안녕.

아빠,
애정이 식었어!

너
인사했냐.

떨 떠 름

어휴, 우리 아빠
이렇게 사교성 없어서
그동안 어떻게 살았대.

음식
이리 내놔.

......

싫은데?

정말 딸로서
걱정이 이만저만이
아니라니까.

그래 봤자 하나도
안 무섭거든?

아빠가 인상을 쓴다고
무서워했던 건
이미 네 살에 끝났죠.

자, 아빠.
아~ 하세요.

뚱―

내 손으로
먹을 수 있다만.

끄응‥

……줘라.

응!

어이구,
잘 먹네, 우리 아빠.
누굴 닮아서 이렇게
잘 먹을까.

바
직

……

못마땅한
표정 하기는.

꿀꺽

그러면 뭐 해?
이미 입은
내가 주는 스프를
받아먹고 있는데!

모르면
됐어.

대체 무슨
일인 걸까.

아니,
이 아빠가?!

아니.
그건 왜?

나도 좀
알려 주면
안 되는 거야?

소외감
느껴지게······.

흥,
복수다!

자, 아빠.
스프를 마셨으니
이제 빵도
먹어야지!

킥.

이 녀석이····.

이럴 땐 조금
섭섭하다니까.

우물

품, 다람쥐다, 다람쥐.

아, 근데 아빠. 나 하나 물어볼 거 있어.

남들은 알까 몰라, 우리 아빠의 이런 귀여운 모습.

물론 공유하진 않을 거지만.

뭔데.

나 구하러 왔을 때, 그 성에서…… 6황자 엄마는 어떻게 끌고 온 거야?

페르델이 제안했어.

응?

그 엄마 데려오면 나를 풀어 줄 거라는 건 어떻게 알았어?

남부에
벌어진 전쟁도
그 새끼 짓이겠지.
음험한 놈.

거참, 딸내미 앞에서
어조가 상당히
거치신데요, 아버님.

그 새끼?

뭐, 항상
그러긴
했지만……

시오른,
그 개자식.

그래도 아빠!
가정교육이 중요한
건데 말입니다.

그냥 놔두면
나중에 그 패거리를
한꺼번에 씨를
말려 주려 했는데,

우리 따님은
거기에 동조뿐 아니라
협조까지 하고
계시고.

내가
그러기도 전에
페르델이 선수를
치고 있더군.

뜨끔

어쩌겠어.
페르델이 처리하는 게
여러모로 잡음이
없는 것을.

그래,
아직 어리지.

열여덟.
적다면 적고
많다면 많은 나이.

이제 내가 다시
태어나기 전의 생에서
몇 살이었는지는
잊기로 했다.

내가 전에
어떤 삶을
살아왔는지도.

이미 끝난 걸
계속 되새긴다는 건
이 삶을 충실히
살고 있지 않은 증거처럼
느껴지니까.

어찌 되었든
지금 내가 사는 삶은
열여덟의
아리아드나인걸.

그렇게
결론을 내리니
갑자기 모든 게
달라졌다.

내가 해야 할 것,
할 수 있는 것.

모든 것이 마치
수많은 별들처럼
갑자기 내 앞에
펼쳐져서

다시 태어나서
다행이야.

정말로…….

무사히
다녀올게요.

그 황홀함에
아찔한 기분마저
들었어.

뭐래, 나 아직
결혼할 나이는
아니야.

어디 시집이라도
보내는 심정이군.

적어도
스물다섯은 넘어서
할 거라고!

벌써 시간이 그렇게 흐른 건가.

요즘 따라 새삼스러운 일이 너무 많아.

얼마나 더 같이 있을 수 있는 걸까.

내 나이 먹는 건 느껴지지 않는데, 널 보면 실감하게 되는군.

우리가 만난 지 이제 십칠 년…….
그렇게 시간이 지났다니 정말 새삼스럽다.

뭐?
당연히 내가 죽을 때까지지!

이 아빠가 갑자기 무슨 소리래.

철없는 소리로군.

뭔데, 그 반응!

짝짝.

당연한 거 아냐?

I love you, my daddy (1)

황제의
외동딸

협정 장소는 랑그르와 프레치아가 만나는 지점에 있는 대도시 펠리아.

정확히는 아그리젠트에서 랑그르에게 대여해 주고 있는 땅이다.

그런데 대체 무슨 영문인지 랑그르의 사신이 대놓고 프레치아의 손을 들어 주는 바람에, 오랜 기간 준비한 협정임에도 페르델은 고전을 면치 못했다.

구 이차르타는 명백히 프레치아의 속국이었습니다. 그 땅을 되찾는 데 이유는 필요 없죠.

이차르타의 핏줄을 끊어 놓은 건 카이텔 폐하가 아니던가요? 그건 명백히 정복 전쟁이었습니다.

카이텔 폐하께서 이차르타의 핏줄이라는 사실을 잊으셨습니까? 그 땅의 정당성은 우리 아그리젠트에게 있는데 말이지요.

우리는 그저 우리가 가졌어야 할 것을 가지려고 하는 것뿐입니다.

먼저 도발을 한 건 이차르타 측이었습니다.

우리 아그리젠트는 절대 먼저 침략한 역사가 없습니다.

어휴…….
그냥 머릿수
채우려고 온 나조차
한숨이 절로 나오는
상황이로구나.

페르델이니까
저렇게 차분하게
언쟁을 이어 나가지,

나라면 그냥
맞짱 까자고
외쳤을지도…….

어느 정도
갈등은 있을 거라
생각했지만 이렇게
심각할 줄이야.

우리 아빠가 괜히
전쟁을 좋아하는 게
아니라니까.

답답해 죽겠다,
진짜!

재상도 그냥
아무나 하는 게
아니었어.

이렇게 자꾸
페르델의 유능함이
눈에 보이면 점점
보내기 싫어지는데.

페르델 만큼은 아니지만
프레치아의 수상도
꽤나 유능한 인사인 것
같고…….

페르델에게
일방적으로 밀리지
않는다는 것만으로도.

먼저 침략한 역사가
없다니요. 프레치아가
명백히 그 침략 전쟁의
산증인인데 말이죠?

그래도 아힌은 뭐라고 해 줄 법도 한데.

…….

처음 자리에 앉을 때부터 저렇게 한결같이 굳은 얼굴로 하벨만 쳐다보고 있으니…….

정작 난 눈이라도 마주칠까 두려워 열심히 외면하고 있는 녀석인데 말이지.

공주님께선 뭐 하실 말씀 없으십니까?

헛

쟤 우리 편 맞아?!

영혼 없이 앉아 있는 나한테 갑자기 화살을 돌리다니…….

으음, 뭐라고 말한담?

그럼 양측에서 각각 원하는 국경 모양을 그린 다음,

딱 그 중간에 해당되는 땅들에 국경을 긋는 건 어떨까요?

······?!

뭐야, 분위기 왜 이래?

적당히 절충해서 합의 보지? 라는 마음으로 그냥 말한 건데 반응이 영······.

아씨, 그냥 입 다물고 자애로운 미소나 짓고 있을걸.

그것참··· 좋은 생각이십니다.

흠, 좋은 생각이네요.

······응?

좋다고? 그냥 대충 말해본 건데.

어떻습니까, 수상.

한번 해 보는 것도 나쁘지 않을 듯합니다.

될 놈은 된다는 게 바로 이런 건가.

역시 나야······.

근데······

아까까지만 해도 저 열렬한 시선이 페르델에게 꽂혀 있었는데.

저놈은 대체 왜 저런 죽일 듯한 눈으로 날 쳐다보고 있는 거야?!

이젠 나냐?

저기, 이 상황에서 그렇게 노려보지 말아 줄래?

우리 이제 알은체하고 그러는 사이 아니잖아!

그럼 오늘 논의는 여기까지 하겠습니다.

예, 이따 저녁 만찬에서 뵙도록 하죠.

드디어 끝난 건가!

집안 어르신들 심각한 이야기를 하고 있는 옆에서 나 혼자 무릎 꿇고 억지로 경청하는 기분이었는데 드디어 탈출이군.

내 한마디가 이 회의를 종결시킬 줄 알았으면 진작 끼어들걸!

와~ 해방이다, 해방이야!

아, 행복해.

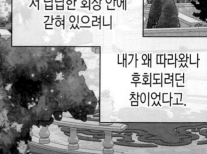

바깥 공기가 이렇게 좋은데 저 답답한 회장 안에 갇혀 있으려니

내가 왜 따라왔나 후회되려던 참이었다고.

그럼 저희는 이만 물러가도록 하겠습니다, 공주님.

방긋 방긋

네, 편히들 쉬세요.

이제 다들 몰려나올 테니 빨리 이 자리를 떠야겠군.

안 그러면 웃느라 얼굴에 경련 오겠어.

하아…….

협정 내내 부담스러운 공기에 압사당하는 줄 알았네.

엄살은.

그래, 안 겪어 본 너는 모르겠지.

뭣보다 아힌이 하벨만 쳐다보는 건 그러려니 해도,

하벨이 나를 뚫어져라 쳐다보는 건 도무지 감당이 안 되더라.

내가 납치당했다는
소식을 알긴 아나 보네.
전쟁하느라 바빠서
모르실 줄 알았는데
말이야.

카이텔
황제께서는
안녕하신가?

......

근데 이제 와서
그러면 내가 뭐
고마워할 줄 알아?!

하, 갑자기
회의감이 드네.

이 녀석이랑
계속 대화를
이어가야 하나.

이 협정이
조금만 늦게 열렸어도
여기 서 있는 건
제가 아니라
제 아버님이셨겠죠.

안타깝지만
안녕하세요.

그렇군.

그런데, 왜!

나에겐 말이지.

이억 명의 사람이 있어.

내 백성들을 그렇게 만든 자가 누구인지 아나?

내가 책임져야 할 나의 백성들.

그리고 그들이 지금 내 땅에서 고통에 신음하고 있다.

모를 리가 없다.

나도, 자세하게는 아니라도 프레치아가 그런 상황이었다는 걸 몰랐다고 할 수는 없어.

……카이텔. 우리 아빠.

아그리젠트의 식민지 정책은 냉혹했으니까.

완전히 꿀만 빨아먹고 버리겠다는 식의 통치.

그 땅의 무엇도 배려하지 않는 정책.

……아그리젠트가 풍족한 삶을 영위할 동안,

꾸욱

나는 내 백성들의 비참한 실상을 마주하며 오로지 옛 프레치아의 영광을 되돌리기 위해 살아왔다.

그런데 내게 그깟 회담이 문제가 될 것 같나?

숨이 막힌다.

여기서 내가
무슨 말을
할 수 있을까.

......

카이텔의 딸이기에
가질 수밖에 없는
죄책감.

아마 이 감정은
영원히 내 뒤를
따라다니겠지.

내가 무슨 짓을 해도,
어떤 말들로
사죄한다고 해도......

......그래서
아그리젠트에게
복수라도 하겠다는
거야?

복수는
이미 했어.

끝나지 않았을
뿐이지.

애초에
프레치아의 독립을
승인해 준 건
아그리젠트다.

이 협정 위반으로
아그리젠트가 프레치아를
다시 침공한다고 해도
프레치아 측에선
반박할 수 없어.

황제의
외동딸

......

이제는 어떻게 해도
뛰어넘을 수 없는
간극이

우리 사이에
생겨 버렸지만.

전에 했던 말
기억하나?

확인해 보러
왔다고
했던 거.

......기억해.

어떻게
잊을 수 있겠어?

그날 네가
내 머리끈을
돌려줬고,

난 그게 무슨 의미인지
신경이 쓰여서
밤에 잠까지 설쳤는데.

……그래.

왜…….

왜 그런 눈으로 보는 거야?

그렇게 열망하는 듯한 눈빛으로 보면

내가 어떤 반응을 보여야 할지 모르겠잖아.

난 너와 척을 질 생각은 없어, 아리아드나.

황제의
외동딸

죽을까?
그냥 콱
죽어 버릴까?

보, 보셨어요?

……예.

으아, 어색해서
질식할 것 같네.

어, 어디부터
……?

뭔 개소리야,
이 미친놈아
……부터?

그럼 거의 다
들은 거잖아.
썩을!

하하…….

저기, 제가……
원래 이런 사람
아닌데.

괜찮습니다.
보기 좋아요.

뭐? 장난해?!
좋긴 뭐가 좋아!

실례. 이마에 좋지 않은 기운이 묻어 있어서 닦아 드렸습니다.

뿌듯한 얼굴로 대체 무슨 말을 하는 거야?!

그럼 편히 쉬시길.

갑자기 마무리?!

아, 네…… 아힌도요.

내 혼을 쏙 빼놓고 쿨하게 사라지네.

이야기는 다 끝났어?

아, 응.

참, 내가 아힌 처음 만났을 때 무슨 일 있었던가?

발르, 넌 알아?

기억 안 나? 너 우리한테 엄청 뭐라고 하다가 형한테 들켰다며.

투덜 투덜

이 망할 꼬맹이들이 또 어디를 간 거야?

아, 맞다!

그랬지……

어쩐지 떠올리고 싶지 않더라니,

내 어릴 적 개망신 순위 베스트3에 드는 사건이었잖아?!

아, 진짜, 이놈의 울컥하는 성격……!

괜찮아. 형은 그게 매력 있다고 했으니까.

이런 여자의 어디에 반한 건지는 모르겠지만.

인기 많아서 좋겠다, 우리 공주님.

다물어라. 맞기 전에.

결국 1차 협정은 이후 두 나라의 관계를 어떻게 이끌어 갈지에 대한 큰 숙제를 남기고

잠정적인 종전으로 마무리되었다.

후에 있을 2차, 3차 협정도

페르델이 책임지고 끝낸다고 했으니 이제 아무런 걱정이 없⋯⋯.

그건 바로 날 괴롭히는 두 남자에 관한 것.

도대체 왜들 그러는 걸까?

고민해 봐도 답이 없네⋯⋯

아니, 하나 있구나.

에잇, 몰라. 버려! 안 해!

펑

펑

휘이휘이 날아가라, 생각들아!

뭐, 돌아다닐 수 있을 정도로는 회복됐다고 들었는데.

어쩐지 아빠를 보러 가면

그리고 바로 페르델에게 일거리를 받아서 중노동을 하고 있다는 소식도 듣긴 했지.

나도 같이 서류에 사인을 하게 되는 불길한 미래가 눈에 선하달까.

가지 말아야겠다.

오늘 결재하실 분량입니다.

으음

그래, 그게 좋겠어.

아빠도 건강하고, 나도 건강하고,

전쟁의 여파는 여전하니 한동안은 신경을 써야 하겠지만……

아그리젠트도 괜찮고, 나머지도 괜찮아.

그 정도는 너그러운 마음으로 넘어갈 수 있으니까.

아, 이제 살 것 같다.

괜찮아, 이제
어디 가서 사고 치고
그러지 않을게.

응? 그러니까
울지 마, 리비.

평생,
공주님을……
모실 수 있게,
해 주세요.

그건 안 돼.
리비는 멋진 남자
만나서
결혼해야지.

안, 해도 돼요.
결혼 같은 거.

알았어.
알았으니까 그만
뚝 해, 응?

흘쩍흘쩍
울면서 잘도
대답하네.

꼬
옥

이만
들어가자.

공주님!

일린?

뭔 일인데
저렇게 뛰어와?

리비가 이런 생각을
하고 있을 줄은
몰랐는데.

왠지 조금
미안해지는걸.

쟤가
호들갑을 떠는 게
하루 이틀 일은
아니지만.

이 넓은 황궁에
기사가 한둘이
아닌데.

기사님께서
돌아오셨어요!

……!!

어째서 난
바로 알 수
있는 걸까.

…정말이야?

탁
탁
탁
탁

일단 솔레이로
가 보자.

돌아왔다면
분명 카이텔한테
먼저 인사를 하러
갔을 테니……

아…….

아시시!

역시 있어.

우리 아시시가
내 앞에 있어.

틀림없는
아시시다.

어디 하나
다친 곳 없이.

공주님을
뵙습니다.

......얼마나.

얼마나
보고 싶었는지
몰라.

어서 와,
아시시.

와

슥

락

정말
보고 싶었어.

……저도
그렇습니다.

우리 아시시가 언제 이렇게 감정을 솔직하게 표현할 수 있게 됐을까?

정말 장하다.

등이라도 토닥여 주고 싶지만,

여기선 아시시의 사회적 위신을 위해 참아야겠지.

이제 도착한 거지? 자, 얼른 가서 씻고 쉬어.

아닙니다.

저는 공주님의 호위를......

어휴, 누가 성실한 남자 아니랄까 봐.

명령입니다, 기사님.

우리 궁 식구들은 왜 이렇게 내 명령을 좋아하나 몰라.

꼭 명령이라는 말을 해야 내 말을 듣는다니까?

뭐, 다들 날 사랑하니까 그런다는 건 알지만…….

시무룩

그래 봤자 안 넘어갑니다, 기사님.

아. 시. 시?

…….

휴, 겨우 보냈네.

쏠쏠.

이제 다루는 게 능숙하시네요.

공주님의 명령을 받들겠습니다.

뭐래. 원래 능숙했거든?

내가 아시시랑 산 세월이 몇 년인데.

I love you, my daddy (2)

황제의
외동딸

1차 협정을 맺은 지 삼 개월.

2차 협정으로 완전히 종전 선언이 되었고, 아직 남부 정세는 불안정하지만 그럭저럭 나쁘지 않은 수준이다.

재상부에서 이번 달 풀고르 궁 예산 일정을 보내 달라 하셨습니다.

예? 하지만 재상부엔……

제로가 재상이 되고 나서 확실히 국정이 엄청 어지러운 게 나에게까지 전해져 온달까.

기관끼리 알게 모르게 알력 다툼이 있다는 건 알았지만……

벌써부터 텃세라니.

그거 이미 재무부로 넘긴 지 오래인데?

페르델이 물러나고 제로가 신임 재상이 된 지 약 2주.

이미 갖고 있는 서류가 있을 테니 전해 주도록 해, 리비.

예, 공주님.

그림 배우시게요?

그래도 다행이야. 수락해 줘서.

뭘 들었어? 배우려고 스승을 구한 거잖아.

처음에는 딕도 한참을 망설였지만......

배워서, 꼭 그리고 싶은 게 있어요.

......

알겠습니다.

어? 정말?

결국 내 진심이
전해진 거지.

그리고
시간이 남으면
조각도
배우려고.

사실 자신은 없지만.
하고 싶다는 의지 하나로
무작정 덤벼 보는 거랄까?

남겨 놓고
싶은 게 있어.

물론 나 혼자는
힘들겠지만, 훌륭한
선생님 밑에서라면
어떻게든
되지 않을까?

힘드실 텐데……
웬만한 남자들도
힘들어하는
작업이잖아요.

그게
뭐랄까……

직접 하지 않으셔도
그냥 시키시면
되잖아요.

아무리
뛰어난 화가라도
내가 보고 싶은 걸
정확히 그려 내진
못하더라고.

황제의
외동딸

뭐, 결혼?

도대체 언제
그런 사이가
된 거야?

세상에.

......

아니, 시토는
분명 전쟁터에도
나갔었는데......

내가 가출했던
한 달 사이에
도대체 무슨 일이
있었던 거지?

둘이
사고 쳤어?

저, 절대로
아니에요!

......그렇게 부정하면
괜히 더 의심스러운데.

공주님도
차암......

부끄러워하긴.

그러는 리아는 정했어?

뭘?

결혼 상대.

형한테 청혼 받았잖아. 프레치아 황제한테도.

……?? 이게 무슨 소리야?

뭔가 불안한데, 이 자식?

?!?!

진짜?!

정말요, 공주님?!

그런 거 아니야.

아, 발토르타 이 망할 놈은 좀 잠잠하다 싶으면 사고를 치는구나.

대체 뭐라고
대답해야 하지?

······아힌
형이라면
괜찮아.

나도 잘
모르겠지만······
싫은 건 아니야.

어?

리아를 믿고
맡길 수
있으니까.

산세······.

내 동생이
어느새 이렇게
의젓해진 걸까.

이런 사랑을
받고 있다니······
난 정말 행복한
사람이야.

황제의
외동딸

황제의
외동딸

어디까지나 가정이지만 그래도 예상할 수 있다. 분명 내가 아시랑 결혼하겠다고 고집을 부렸겠지.

그래, 만약 내가 환생을 한 게 아니라 내 몸 그대로 왔다면

아시는 어물쩍대다가 결국 내 손아귀에 들어와서 내가 하자는 대로 해 줬을 테고……

아시라면 가능한 얘기야.

아시랑 사랑에 빠져서 결혼했을 게 분명해.

(물론 아시시가 나에게 반해 준다는 전제가 필요하겠지만.)

하지만 아시시는 내 기사님이잖아?

아시시랑 결혼 안 해도 상관없어. 그래도 날 평생 지켜 줄 테니까.

정말 좋아해.

내 말이 부담스러우면 꼭 그러지 않아도 되니까. 응?

꼭 아시시가 가족을 만들었으면 좋겠다는 생각은 아니다.

……예.

그래도 다행히 아주 싫은 건 아닌가 보네.

그냥 아시시의 세계가 점점 더 넓어져서 오랜 상처가 치유되었으면 하는 바람이랄까.

아, 맞아. 나 요새 그림 배운다?

응. 배우고는 있는데 역시 난 그림에 소질이 없나 봐.

스헤르토에서 데려오신 그 화가분 말이시지요?

너무 어려워.

그림을 그리는 건 천한 일이라고 시녀들이 싫어한다는 소리는 들었습니다.

그래, 그 말이 왜 안 나오나 했다.

음, 아시시는 어때? 싫어?

공주님이 하시는 일이라면 그게 무엇이든.

알고 있으면서 마냥 흐뭇해하는 나도 나지만.

그러면서 느낀 건데 역시 그림은 그리고 싶은 걸 그리는 게 최고인 것 같아.

폐하인가요?

땡!

나 요새 뭐 그리는 줄 알아?

그럼 뭡니까?

뭐야. 지금 아빠만 말하고 정답 맞히기를 포기한 거야?

……!

으음, 폐하가 아니시라면…

아아, 고민에 빠진 모습도 귀엽구나.

아시시를 그리고 있어!

다 큰 아저씨가 귀엽다니, 이게 대체 무슨 일이래.

사실은 말이지…….

예?!

물론 나 혼자 그리는 건 아니야.

기술적인 건 아무래도 내가 초보라서 딕의 도움을 많이 받고 있어.

기술적인 건 그렇지만 그 하얀 캔버스 안을 채워나가는 건 온전히 나의 몫이다.

마치 보석처럼 찬란히 지나가는 이 순간순간을 새겨 넣고 싶다는 작은 바람으로 시작한 일이었는데……

생각보다도 더 이 작업이 마음에 들어 버려서.

그림을 그리게 되니까 말이야, 그 사람을 더 주의 깊게 보게 되더라.

얼굴 생김새라든가 눈코입의 위치라든가…… 화났을 때의 표정이나 입술을 깨무는 사소한 버릇 같은 거 말이야.

평소에는 보지 못하고 지나쳤던 많은 게 눈에 들어오더라고.

그림을 그리려고 하니 자꾸 확인하면서 되새기게 돼.

우리 아시시는 이랬구나, 하면서.

그게 참 사소한데 정말 중요한 것 같아.

그렇게 하나하나 그려 가려고. 내 소중한 사람들을.

좋은 생각이십니다.

그래서 말이야, 나 요즘 너무 행복해.

그렇지?

예.

이젠 제법 부드러워진 아시시의 미소가

나를 행복하게 한다.

……생각해 봤는데,

나중에 그걸 본
사람들이

아, 이 공주는
이런 행복한 기억들이
있었구나, 하고
누구나 알 수 있게.

그리고
그 생각을 했을 때
제일 먼저
떠오른 건…….

그 맨 처음이
아시시야. 어때?
영광스럽지?!

ㅎ ㅎ

……예.

정말? 아시시가 그렇게 말하니까 앞으로 더 그래야겠네.

역시 우리 기사님밖에 없다니까!

공주님께서 대형 극장이라는 걸 짓는다는 소식을 들었습니다.

이해받으리라고는 생각 못 했는데……

아시시가 지지해 준다고 하니 마음이 놓인다.

응? 아, 그거… 그게 올해 내 생일 선물이래.

돈이 꽤 많이 드는 일이라 차근차근 모아서 한 오 년쯤 후에 지으려고 했는데 말이지.

그래서 요즘 그게 완공되면 뭘 할지 구상 중이야.

할 수 있는 게 정말 무궁무진 하거든.

그런 걸 그냥 척척 지어 준다니……

역시 우리 아빠.

정말 대단하십니다. 벌써 기대가 되는군요.

아직은 미미한 것들이지만 이런 작은 시도들이 결실을 맺으면 점점 더 아그리젠트가 발전할 거라 생각해.

저도 응원하겠습니다.

원하시면 재정적으로도.

그리고 언젠가 후세의 후손들에게도

음, 고맙지만 사양할래. 우리 아빠 등쳐 먹으면 되거든.

우리 아빠가 비록 나쁜 놈이지만 그래도 나름 열심히 이 나라를 먹여 살렸습니다, 하고 알리는 게 내 최종 목표야.

저기요? 대놓고 네 주군을 등쳐 먹는다는데

그냥 수긍해도 되는 거야?

끄덕!!

게다가 요새 페르델이 심심한지 내가 하는 사업에 관심이 많으니 거기 돈 좀 써도 될 테고.

듣기로는 어마어마한 규모라던데.

나중에 아시시는 기사 학교 같은 거 지어 봐.

아, 시르가 요새 식물원이라는 걸 비테르보 영지에 짓고 있다는 소리는 들었습니다.

아, 그거! 내가 추천한 거야!

의견은 냈지만 그렇게 빨리 행동에 옮길 줄은 몰랐지.

자질이 있는 아이들을 불러들여서 체계적으로 가르치는 거야!

아……

좋은 생각
같습니다.

그리고 보니 아시시는
돈이 왜 그리도 많을까?
기사 녹봉으로 그렇게
많이 모으긴 힘들 텐데.

응?

왜 외면하고
그래? 내가
뭘 어쨌다고.

그렇지?

어차피
자바이칼은 부자니까
굳이 내가 돈을 대 줄
필요도 없고.

정말 아그리젠트
3대 미스터리 중
하나라니까.

……요새
예하랑 자주
만나시는 것
같습니다.

어쩌다 보니
꾸준히 얼굴을
보고 있다.

외국에서 온
귀한 손님을
그냥 보낼 수는
없는 노릇이잖아?

어…… 아힌?
뭐, 그렇게
됐어.

그러니까
아시시, 그런
의심스런 표정으로
보지 말아 줄래?

어째서인지 아힌이
한 달에 한 번씩
아그리젠트로
찾아오는 바람에

프레치아의
황제도 매일 서신을
보내오는 것
같던데요.

아, 그거.

황제의
외동딸

자연스레
맞잡은 손.

아빠와 함께하는
언제나의 산책길.

그리고 보면
내가 정말
작았을 때부터

우린 이렇게
손잡고 산책을
했었지.

나름 유서가
깊달까.

아, 참! 들었어?
시르 또
임신했대.

이번엔
딸이었으면
좋겠다. 그치?

그 자식은
평생 딸
못 가질걸?

응? 왜?

어휴, 정말 아니라니까?

……아빠는 우리 딸 믿는다.

그래, 믿어!

좀 믿어 달라고!

절대 그렇고 그런 사이가 아닙니다. 네?!

벌써부터 남자친구는 안 돼. 넌 아직 어려.

알았다니깐?

안 그래도 한 달 뒤에 있을 이블린과 그레시토의 결혼 때문에

같은 또래인 나도 결혼할 시기가 아닌가 하고 카이텔이 긴장하고 있다던데……

(세르이라가 말해중)

진짜, 누가 팔불출 아니랄까 봐.

본인은 내가 아직 어리다는 핑계를 대고 있지만,

그게 아니라는 건 누구나 다 아는 사실이다.

어쩌다 우리 아빠가 이렇게 됐을까? 정말 오래 살고 볼 일이야.

우 뚝

문득

내가 이 세계에
태어나 카이텔을
처음 만났을 때가
생각난다.

누가
알았을까.

내가 지금
그때 그 남자의
손을 잡고

이렇게
행복한 미소를
짓게 될 거라고.

낳아 주셔서
감사합니다,
아버지.

…….

이제는
이 무표정한 얼굴에서
미미하게 떠오르는
감정까지도

읽을 수 있는
사이가 되었다니
말이야.

어쩌겠어?
이미 이 따뜻한 감각에
중독됐는걸.

아마 영원히
벗어날 수 없을 거다.

사랑해요,
아빠.

내가 자라고,
내가 난 이 땅.

걸음마를 하던
시절부터
아빠와 늘 함께
걸었던 이 길.

소중하지
않은 게 없어.

지금 잡고 있는
이 손마저도.

외전

엄마의 일기장

황제의
외동딸

나의 하루 일과는
의외로 단순하다.

새벽 다섯 시.
그 누구보다 먼저 일어나
궁을 한 바퀴 돌며
어제와 다른 일이 없는지
살펴보고,

자, 오늘 하루도
시작해 볼까.

음, 특별히
이상은 없는 것
같네.

그렇게 궁의 점검이 끝나면
공주님이 그날 입을 옷가지들과
세안거리를 준비하고,

드레스는
좀 더 활동성
좋은 것으로.

예,
세르이라 님.

하루의 일정들을
미리 살펴본다.

오후에는 여유가
생기겠는걸.

그리고 리비와 함께
하녀들과 조례를 마치면
본격적인 하루의 시작.

공주님이 어릴 땐 하루 종일 곁에 붙어서 먹이고 재우고 놀아 주기만 하면 됐었는데…

이제 공주님이 자라서 자신의 궁을 가지게 되니 일이 많이 늘긴 했어.

그래도 이 궁의 시녀장이라는 자리를 다른 사람에게 넘기고 싶진 않다.

달 칵

세르이라!

일어나셨어요?

응!

궁의 모든 것을 일일이 살피는 게 쉬운 일은 아니지만

내가 손수 키운 아이의 모든 걸 챙기고 싶은 엄마의 마음은 포기할 수 있는 게 아니니까.

공주님이 일어나는 시각은 아홉 시쯤.

아침잠이 많아 이 시간에 일어나면서도 힘겨워해서 큰일이다.

폐하께선 여섯 시면 연무장에서 하루를 시작하시는데…….

대체 누구를 닮으신 것인지.

십 몇 년을 손수 키우고 자라나는 걸 지켜봤지만 가끔 공주님이 너무 어리게만 느껴져서 문제야.

자, 세안하러 가실까요?

응.

언젠가는 내 품에서 떠나 한 사람의 성인으로서 당당히 독립해야 한다는 걸 알면서도,

맛있는 걸 챙겨서 먹여 주고 싶고, 해 달라는 건 다 해 주고 싶은 마음을 참기가 힘들다.

내가 이런데 우리 폐하께선 정말 어떠실까.

조금만 힘내세요. 오늘은 궁내부에서 보내온 서류만 처리하시면 공식적인 업무가 끝난답니다.

황궁에 들어오기 전, 가난한 영지의 남작 부인의 삶은 고된 것이었다.

그래도 나는 운이 좋은 편이었지.

가난이라는 건 쉽게 벗어날 수 있는 게 아니었으니.

우연이었지만 폐하를 만나 도움을 주었고, 그 덕에 풍족하게 살 수 있는 지위와 기회를 얻었으니까.

남편은 전쟁 통에 죽었지만 그래도 부족함 없이 아이를 키우고

아직도 마음 한구석엔 무거운 돌처럼 짓누르는 기억이 있다.

또 사랑스러운 딸을 만나 내 손으로 챙길 수도 있었다.

하지만······.

그것은 온 황궁이 사랑하는
아리아드나 공주님의 생모,

제르에이나 왕녀에
관한 이야기.

그대가
내 아이를 돌봐 줄
사람인가요?

그 창백한 얼굴과
불안해 보이던 시선을
아직도 기억한다.

처음 뵙겠습니다.
페이스트릴
백작 부인입니다.

사실 그녀에 대해서
자세히는 몰랐지만……

내가 맡게 될 아이를
낳아 줄 생모라
한번 만나러 간 거였다.

각 나라에서 볼모로
잡아 온 공주들이
이 나라에서 어떤 취급을
받는지는 익히 알고 있었다.

그것도 가능한 황제 몰래,
아무도 모르게
자신의 궁으로 와 달라는
왕녀 쪽의 요청으로.

이 공주 역시
그렇게 될
운명이라는 것도.

상냥하군요.
이런 내게 예의를
차리는 걸 보니.

이렇게 아름다운
여인인데······.

이런 여자를 닮아
태어난 아이는
또 얼마나 예쁠지.

······.

그렇게 생각하자 어쩐지
애틋한 기분이 들어
아무런 말도 하지
못하고 있었다.

꾸욱

초면에
실례지만……
그대에게 부탁이
하나 있어요.

예?

이것을.

언젠가……

……펜던트?

내 아이가
말을 하게 되고
나에 대해 궁금해하게
될 즈음 전해 주세요.

부탁이에요.

······.

그것은 이미
죽음을 각오한
눈빛.

자신의 아이를
자기 손으로 키울 수
없다는 걸 아는
어머니의 말이었다.

어째서?
설마 폐하가 이 여인을
죽이기라도
한단 말인가.

...알겠습니다.

결코 가볍지 않은 의미를
내포한 부탁이었지만,
거절할 수가 없었다.

도저히
그 간절한 시선을
외면할 수는
없었기에…….

고마워요.

속삭이듯 말하곤
가느다랗게 미소짓던
그 얼굴이

너무나
슬퍼 보였더랬다.

그 뒤, 무언가에
쫓기기라도 하듯
그 궁을 나왔지만

그때의 기억은
이미 잊을 수 없는
일이 되고 말았지.

연약한 여인의 몸으로
어떻게 해서든
자신의 아이만은
지키려고 애쓰던 왕녀.

내가 할 수
있는 건……

그렇게 왕녀가
소중하게 생각하는
이 아이를

남부럽지 않게
잘 키워 내는 것뿐.

황제의
외동딸

다행히 아이는
무사히 자라나

아버지에게
사랑받으며
잘 지내고 있다.

이 사실을 안다면……
제르에이나 왕녀가
얼마나 기뻐하며
행복하게 웃을까.

언젠가
그 펜던트도 전할
날이 왔으면.

시녀장님.

응?

시녀장님 앞으로
편지가 왔습니다.

아, 일린이
보낸 거구나.

오랜만에 보내네요,
세르이라 님.

잘 지내고 계시죠?
저는 잘 지내고
있답니다.

궁 밖에서
새로운 삶을 살고 있어도
항상 황궁에 계신
세르이라 님과 공주님
생각으로 가득해요.
…… …… ……

……아 참, 저 임신했어요.
이 소식을 제일 먼저
알려 드리고 싶어서
손이 막 근질근질했답니다.

잘 지낸다니
다행이구나…….

그나저나 임신이라니
워낙 덜렁거리는
아이라 걱정되네.

조금만 더
조신해졌으면
좋겠건만…

그건 공주님이
여성스러워지는
것만큼이나 어려운
일이겠지.

음, 우리 공주님은
가끔 남자아이 같을 때가
있으니 말이야.

가끔씩 긴장이 풀리면
나오는 자세라든가.

빠... 밤.

지적을 하지 않으면
도저히 고쳐지지 않는
말투라든가…….

버
럭!

다 때려치워.

아… 설마
사춘기인 건가?!

멈칫

하지만 그 외에는
딱히 사춘기다운 모습이
안 보이는데…….

벌
렁

아~~
공부하기 싫어.

공부를 싫어하는 건
어릴 때부터 그랬고.

때때로 아빠를
만나기 싫어하는 것도
어릴 때와
마찬가지니까.

폐하 뵈러
갈까요?

으음...
귀찮은데.

말은 그렇게 해도
막상 폐하와 함께 있는
공주님을 보면

아빠를
참 좋아한다는 게
한눈에 보일
정도지만.

게다가
예전처럼 겉으로
고집부리는 일 없이,

살살 폐하를 달래서
자기가 원하는 대로
하게 만드는 걸 보면
정말 놀랍단 말이야.

아무튼
요망해.

시녀장님.
폐하와 공주님께서
오셨습니다.

아.

요즘 밤늦게까지
안 잔다는 소리가
들리던데.

아니거든.
어제만 그런
거거든.

공주님이 풀고르로
보금자리를
옮긴 뒤로

사실상 폐하와
마주칠 일이 거의
없어지긴 했다.

에반젤리움의
광명이 함께하길.

오랜만에
보는군.

예.

곧 다과를
준비하겠습니다.

아차.

나 혼자만 너무 먹었나?

됐다.

자, 아빠는 이 타르트라도 먹어.

아빠...... 설마! 타르트의 상큼함도 모르는 거야?

세상에 이렇게 안타까울 수가!

또 시작이냐.

불쾌

앞으로도
공주님은 자라고
여러 가지 일을
겪으시겠지.

공주님이
좋아하시니
저도 좋네요.

설레기도 하고
두렵기도 하지만……

그것이 어떤 미래라도
나는 항상
이 작은 공주님의
곁을 지킬 것이다.

늘 그랬듯이.

외전

푸른 리본의 추억

황제의
외동딸

몰락한 집안의
딸인 어머니는
황실의 시녀였다고 한다.

어쩌다가 황제의
아이를 가지게 되었지만
그 사실을 질투심 많은
황후에게 들켰고,

그 길로 궁을 떠나
이 구석진 곳에서
조용히 지내 왔던 것이었다.

아그리젠트의 황제,
카이텔에 의해
이 나라가 박살나지
않았더라면

계속 그렇게
평범한 인생을
살았을 텐데······.

잊지 말거라,
하벨.

그 누구도
믿으면 안 돼.

그 말은

다 자란 지금까지도
내 일생의 지침이
되고 있다.

끄덕

신이 인정한 자만
오를 수 있다는 황위.

그러나
아그리젠트 황제의 손에
모든 황족이 죽어 버렸기에
프레치아에 미래는 없었다.

그리고……
마지막 희망으로
이들은 나를
찾아냈다.

잊지 마십시오.
아그리젠트는 적입니다.
우리나라를 무참히
짓밟은 적.

당신의 아버지를
죽인 카이텔 황제를
절대로 잊으시면
안 됩니다.

어머니와 헤어져
수상의 보호 아래
보냈던 시간은
지금 와서 생각해 보면
지옥 같았다.

프레치아에 대한 모든 걸 가르치기 위해
수상은 이제 일곱 살이 된 아이를
혹사시키는 데 일말의 죄책감도 없었고……

주변에
편들어 주는 사람
하나 없이

나는 그 모든 걸
해내는 수밖에
없었다.

외로워….

도저히 견디기 힘들어
포기하고 싶어질 때면
수상이 나를 협박했다.

지금 이 상태로
당신의 존재가 밖에
알려지게 된다면 분명
죽게 될 겁니다!

'그 카이텔
황제의 손에.'

지금에 와서도
잊히지 않을 정도로
두려운 말이었다.

그렇게 내 여덟 살이
지나갈 무렵.

느닷없이
재상의 손에 이끌려
아그리젠트로
가게 되었다.

어릴 때부터
공포의 대명사였던 황제를
직접 마주하러 간다는 건
쉬운 일이 아니었으니까.

카이텔 황제의
탄신일을
축하하기 위해.

가고 싶지
않아.

하지만……

생각해 보면 맞는
말인지도 몰라.

그가 황족의
씨를 말리지
않았더라면

귀족들이 나를 찾기 위해
애를 쓰지도
않았을 것이고,

나는 여전히 평온하고
별것 없는 인생을
살고 있었겠지.

아무에게도
기억되지
않은 채.

하지만 이제
프레치아라는
나라를 지키고
이어 나갈 수 있는 건
나밖에 없다.

그래, 오로지
나 하나밖에.

탁

탁

이곳에서
벗어나고 싶어.

탁

화려한 파티의 음악 소리도,
밝게 빛나는 샹들리에도,

그 무엇도 내게는
어울리지 않아.

고급스러운
차림새를 한
그 여자아이와
맞닥뜨렸을 때,

......?

처음 든 감정은
호기심이었다.

......

일린,
데리고 와.

예.

응? 잠깐......,

그렇구나.
누군지 알겠어.

이렇게 생긴
여자애도 있구나
싶을 정도로.

하지만…
절대로 친해질
수는 없어.

솔직히 이제껏 봐 왔던
그 어떤 여자아이와도
비교하지 못할 정도로
예쁘다고 생각했다.

원수의
딸이니까.

넌 뭐냐!

아리아드나.
그냥 리아라고
불러.

응? 이미
알지 않아?

아리아드나…….

맛있지?
이것도 먹어.

이렇게 쉽게
대답할 거라고는.

딱히 초콜릿을
좋아하는 것도
아닌데,

이 아이가 주는 건
이상하게 자꾸
먹고 싶어.

그리고 그 후로도
한참이나 그 초콜릿
생각이 났다.

그러면
안 된다는 걸
알면서도.

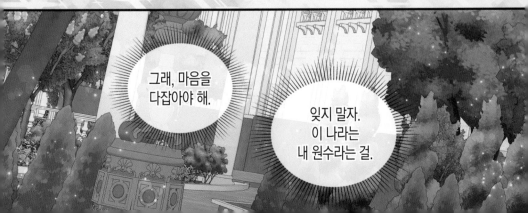

그래, 마음을
다잡아야 해.

잊지 말자.
이 나라는
내 원수라는 걸.

황제의
외동딸

그래 놓고
까먹다니, 정말
괘씸하군.

프레치아로 돌아와
훈련이 힘들 때면

손에 감겼던
그 파란 리본을 보며
생각에 잠기고는 했다.

전쟁이
일어나고

내전을
종식시키기 위해
온갖 전쟁터를
구르던 때 역시.

어째서인지
이 파란 리본 끈만
바라보고 있으면

이상하게도
온갖 고뇌가
씻겨 내려갔다.

도대체 어디서부터
생겨난 걸까?

이 마음이.

매 순간
되새기고 되새기던
기억 속의 그 미소.

하지만 막상
그 미소를 다시
마주했을 땐

도무지
반가워할 수가
없었어.

뭘요?

확인하러
왔다.

아무것도 모른다는 듯
동그랗게 뜬
눈을 봤을 때,

하지만
그보다 더 강렬하게
마음속을 채운 것은,

밀려든 감정은
서운함……

줄곧

이 눈동자를
보고 싶었다는
깨달음이었다.

Bonus

작가 후기

안녕하세요, 리노입니다.

이번 표지는 아시시 단독 일러스트입니다!
연재 초반에는 그래도 나름 내용에 맞도록 표지 그림을 고민했었는데,
이제는 그냥 그리고 싶은 캐릭터를 그리게 되네요.
13권도 즐겁게 봐 주셨으면 좋겠습니다!

2023년 10월
리노

결혼 승낙을 했다고 다 끝난 거라
생각하지 마라, 애송아.

영혼까지 탈탈 털어 주마. 이 딸도둑놈아!

그러나 카이텔의 야심찬 계획은
리아의 한마디에 산산이 부서지고 마는데….

정녕 나보다 그놈이 더 소중하단 말이냐…!

✧✧ **14권에서 만날**
그들의 이야기를 기대해 주세요!!

하지만 도저히 기다릴 수 없다면?!
지금 바로 카카오페이지에 접속☆

❶ 구글플레이, 또는 앱스토어에서 '카카오페이지'를 검색한다.
❷ 카카오페이지 앱을 설치한다.
❸ 검색창에서 '황제의 외동딸'을 검색한다.
❹ 보고 싶은 화를 선택하여 즐겁게 관람한다.

온라인에서도 만나요!

황제의
외동딸¹³

초판 발행 2023년 10월 31일

만화 리노
원작 윤슬

펴낸이 이왕호
본부장 곽혜은
편집팀장 장혜경
책임편집 구유희
디자인 크리에이티브그룹 디헌

국제업무 박진해, 김수지, 전은지, 유자영, 박이서, 남궁명일
온라인 마케팅 박선혜, 김경태, 박서희
영업 조은결
관리 채영은
물류 최준혁

펴낸곳 (주)디앤씨웹툰비즈
출판등록 2020년 12월 9일 제25100-2020-000093호
주소 서울시 구로구 디지털로26길 123 지플러스타워 1305~8 (08390)
대표전화 (02)853-0360 **팩스** (02)853-0361
전자우편 book@dncwebtoonbiz.com
블로그 blog.naver.com/dncent

ISBN 979-11-6777-166-7 07810
　　　　979-11-91363-06-7 (set)